米奇妙妙屋
亲子故事

妙妙屋的大医生

D1712374

童趣出版有限公司编译　人民邮电出版社出版

北京

叭!

哦，天啊！高飞在来妙妙屋的路上摔倒了！

"高飞，不要紧吧？"米奇关切地问道。

"没关系。"高飞嘟哝着说。接着，他摸了摸自己的脑袋、胳膊和鼻子，看看有没有摔坏。"我的鼻子上有个小伤口！"高飞哭着说道，"天啊！我擦破了皮！"

这时，黛丝医生走进了妙妙屋。"有人在说'小伤口'吗？"她问道，然后她看到了高飞的伤口，"我知道怎么能让高飞舒服一些。唔，我们得先给高飞的伤口降降温。"她说道。"好主意，黛丝！"米奇高兴地说道，"我们冲着高飞的伤口吹吹气。"你能帮助黛丝和米奇吹吹气吗？

真管用！高飞的伤口已经不那么疼了！

"哇！你做到啦！谢谢你，黛丝医生！"高飞感激地说道。

你想到了这个方法吗？黛丝真是个出色的扮演医生呀！

"我想成为世界上最好的扮演医生！"黛丝信心十足地说道，"有一天，我一定要得到扮演医生胸章！"

米奇和高飞想要帮助黛丝实现得到扮演医生胸章的愿望。米奇把俱乐部变成了一间诊所，这里有四位扮演病人。快看！布鲁托、米妮、唐老鸭，还有一位神秘病人也来了。他们都来帮助黛丝，让她能够得到扮演医生胸章。小朋友，你也来帮帮黛丝，好吗？大声说出"妙妙工具，妙妙工具，妙妙工具！"，黛丝需要的妙妙工具就会应声出现，帮她治疗病人。

你做到了！土豆来了，它带来了妙妙工具。

一只长颈鹿。

一个小猪存钱罐。

一个放大镜。

以及一件神秘又充满了惊喜的妙妙工具，会在随后帮上大忙。这些妙妙工具到底能帮上什么忙呢？

快来找出答案吧。大家一起说："第一位病人！"

“你好，布鲁托！”黛丝医生和蔼地问，“你哪里不舒服？”

　　布鲁托抬起脚掌，黛丝医生看见它的脚掌上面扎了一根刺。

　　想想看，哪一件妙妙工具可以帮助黛丝医生拔出那根刺呢？长颈鹿能帮上忙吗？当然不行。小猪存钱罐呢？它也帮不上忙。放大镜可以让黛丝医生看得更清楚，但也拔不出那根刺。现在是使用神秘的妙妙工具的时间啦！

　　想想看，它会是什么呢？

玩具镊子!

"答对啦!让我们欢呼一下!"米奇欢呼起来。

黛丝医生用玩具镊子轻轻地将刺从布鲁托的脚掌上拔了出来。布鲁托高兴地叫了两声,谢谢黛丝医生!

"太棒了！"米奇兴奋地说，"我们请下一位病人进来吧！"

　　大家一起说："下一位病人！"

　　"米妮，你好，"黛丝医生关切地问道，"你哪里不舒服呢？"米妮指指自己的肚子，皱着眉头说："我的肚子好疼呀。"

　　"好的，我知道了。"黛丝医生点点头说道，"唔，治疗肚子疼只有一个办法。那就是要吃一个青苹果！"

"哦，我知道怎么才能得到一个青苹果！"米奇立刻想到了，"从树上摘一个！"

"我们需要一件妙妙工具的帮助，才可以够到青苹果！"黛丝医生说道。

哪一件妙妙工具可以帮助他们够到苹果呢？

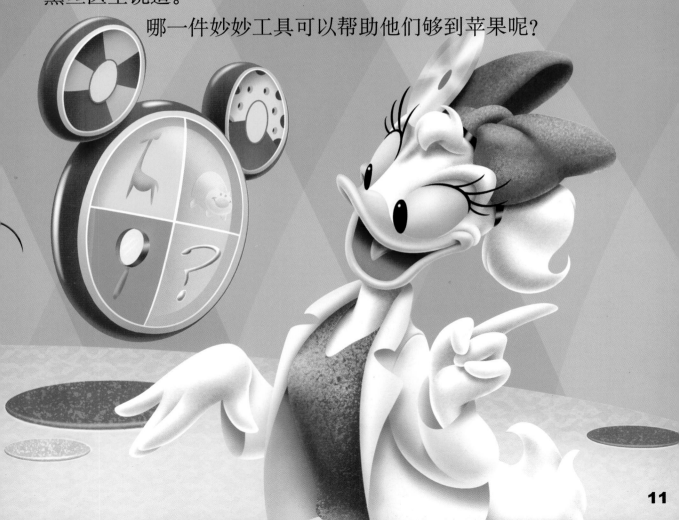

长颈鹿，答对啦！

"让我们欢呼一下！"米奇说道。

可在苹果树下，长颈鹿一个苹果都没有给米妮，而是自己吃了起来，眼看着它就要把树上的苹果都吃光了！

在长颈鹿够到最后一个苹果之前，米奇赶紧伸出手抓住了那个苹果。然后马上把那个苹果扔给了米妮。

米妮刚刚咬了一口，就感觉舒服多了："谢谢，黛丝医生……还有你，米奇！"

回到扮演诊所，他们马上就要请出下一位病人了。

大家一起说出："第三位病人！"

"哦，终于轮到我了！"唐老鸭三步并作两步地跨进黛丝医生的办公室，他抱着自己的双臂说，"它们睡着了。"

"嗯，"黛丝医生说道，"我知道怎么让睡着的双臂醒过来……用跳跳豆！如果你用双手握住这些豆子，它们马上就会把你的双臂摇醒！"

14

"又一个问题出现了……我们没有跳跳豆！"

"我知道哪里可以找到跳跳豆，" 米奇想到办法了，"但是，我们需要一些钱币。哪一件妙妙工具可以给米奇和黛丝一些钱币呢？"

小猪存钱罐！你又答对啦！
"让我们欢呼一下！"米奇叫道。
米奇和黛丝要到哪里才能买到跳跳豆呢？
大家一起说出："哞哞市场！"

你看到美女克拉贝尔柜子上面的那一瓶跳跳豆了吗？找到后，把它指出来。

买跳跳豆一共需要六枚钱币。你能从一数到六吗？快帮黛丝和米奇买到跳跳豆，马上回去拿给唐老鸭吧！

一……二……三……四……五……六！你做到了！

跳跳豆真有效！唐老鸭对黛丝医生感激不尽。
现在轮到最后一位病人了——那位神秘的病人！
大家一起说出："神秘病人！"
你知道那位神秘病人是谁吗？
原来是皮特！

"皮特，你需要什么帮助？"黛丝医生温和地问道。

皮特指着身上的斑点，"我浑身都是这样的斑斑点点！"他说道，"你肯定不知道我为什么会这个样子！"他哈哈大笑起来。

"这样啊，"黛丝医生冷静地说道，"看来我需要仔细地看看这些斑点了。"

哪一件妙妙工具能够帮助黛丝医生呢？

放大镜！答对啦！

"嘿，所有的妙妙工具都用完啦！"米奇说道，"让我们热烈地欢呼一下！"

黛丝医生看到每一个斑点里面都有一只小鸡……原来皮特出水痘了！

"唯一能够去除水痘的办法就是跳小鸡舞，把那些斑点甩掉！"黛丝医生说道。
　　你能和黛丝医生还有米奇一起跳小鸡舞，帮助皮特甩掉身上的斑点吗？

"黛丝医生，你简直是个天才啊！"皮特十分服气地说道。
　　黛丝医生笑了笑，"谁？我吗？"她谦虚地说道，"要不是大家的热情帮助，我根本治不好你的病！"
　　你的帮助能够让黛丝医生得到扮演医生胸章吗？
　　当然！

"谢谢你们！"黛丝医生说道。她自豪极了，马上戴上了扮演医生胸章。

　　"太棒了！"米奇大声对大家说，"让我们一起来跳妙妙舞吧！"

"你还记得为了帮助黛丝医生得到扮演医生胸章，我们都做了些什么吗？"米奇又在考我们啦！

　　"我们用玩具镊子拔出了布鲁托脚掌上面的刺。"

　　"长颈鹿帮助我们够到了青苹果，治好了米妮的肚子疼。"

　　"我们从小猪存钱罐里面取出了六枚钱币，买到了跳跳豆，唤醒了唐老鸭昏睡的双臂。"

　　"我们还用放大镜看清楚了皮特的斑点。"

　　"多棒的一天！朋友们，我们马上还会再见的！"

妙妙益趣时间到！

妙妙聪明学：

💜 米妮将告诉你，哪些好习惯可以让我们保持良好的健康状况；

💜 奇异果的名字竟然来自于一种小鸟的名字，水果原来还有这么多的趣闻！

土豆开心玩：

✳ 教你制作闪闪的萤火虫。

妙妙聪明学

6个健康快乐好习惯

1 养成个人卫生的好习惯，勤洗澡、勤换衣裤、勤理发、勤剪指甲。

2 不喝生水，不吃生、冷和不清洁的食物。饭前便后要洗手，不随便使用他人的生活用品和餐具。

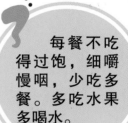

3 每餐不吃得过饱，细嚼慢咽，少吃多餐。多吃水果多喝水。

5 每天早睡早起，平时坚持做运动。

4 坐、立、站、走保持良好的姿态，定期体检。

6 让自己心情开朗，和别人愉快相处。

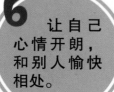

看医生

看看下面的图片，你知道，当我们做身体检查的时候，应该去找下面的哪一位吗？

妙妙聪明学

水果小趣闻

哇！好酸的一种水果呀！你知道吗？柠檬曾经奇迹般地让英国海军中的坏血病绝迹。所以英国人常用"柠檬人"这个有趣的雅号，来称呼自己的水兵和水手。

西瓜为什么要叫"西"瓜呢？原来，早在四千年前，埃及就开始种植西瓜，后来由西域传入我国，所以称之为"西瓜"。

香蕉可以强化我们的肌力，深受运动员的喜爱，当然也能让你在运动的时候更有劲儿！

猕猴桃是新西兰的国果。为什么新西兰人把猕猴桃叫做"奇异果"呢？原来是因为这颗小果子的长相和新西兰特有的一种夜行性珍禽"奇异鸟"十分神似。

你吃了什么？

这么多的好吃的，真是太丰富了！它们不光味道很好，而且你在品尝的时候，会因为滋味的不同，而露出不同的表情。请你一一做出对应的表情，给爸爸妈妈看看。

妙妙聪明学

小动物大发明

小朋友，你知道吗？我们生活中有很多重要的发明，都是从小动物那里获得的灵感，快来了解一下吧！

小小萤火虫与日光灯

在自然界中，有许多生物都能发光。你知道吗，我们家中的日光灯，就是根据对萤火虫的研究而发明的。

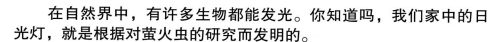

水母的顺风耳

水母的耳朵十分厉害，可以预测风暴。每当风暴来临前，它就会游向大海避难。科学家仿照水母耳朵的结构和功能，设计了水母耳风暴预测仪，这对于保障海上船只的安全十分重要。

电鱼与电池

自然界中有许多能放电的鱼，人们称它们为"电鱼"。有一种被称为"电击冠军"的南美洲电鳗，据说它能电死像马那样的大动物。受到电鱼的启发，科学家还发明了电池呢！

模仿秀

黛丝带领大家跳小鸡舞，让皮特身上的斑点很快就消失了。你也来模仿下面的图片，看看你的模仿秀做得怎么样！

萤火虫的天空

小手动起来！小朋友，快来制造一个夏日的夜晚，让萤火虫伴你入眠吧！

你需要准备：闪光装饰片　黑色卡纸　金、银色颜料　画笔　胶棒　胶带　金线　皱纹纸　金属丝　金属装饰片

用装饰片和金色、银色颜料装饰黑色卡纸。

把皱纹纸揉成圆球，作为萤火虫的身体和眼睛。

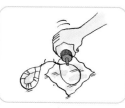

把金属丝弯成翅膀的形状，粘上皱纹纸。

把做好的翅膀和眼睛也粘到做好的身体上。

在做好的萤火虫的周身涂上胶水，然后粘上闪光装饰片。

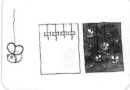

用金线把做好的萤火虫挂在制作完成的夜空背景前。